넬리강

프랑스어에서 옮긴 시 몇 편

장송행진곡

듣는다 내 안에서 소리쳐 부르는
터무니없는 장례식의 목소리들
독일식으로
악대가 북을 치며 지나갈 때.

척주(脊柱)를 타고 오는 심한 떨림에
내가 길 잃은 사람처럼 흐느낀다면,
터무니없이 소리쳐 부르는
장례식의 목소리를 듣기 때문.

질주하는 유령 같은 얼룩말들처럼
내 꿈은 이상하게 배회하고
나는 완전히 홀리지
내 안에서 늘, 나의 어둠 안에서

나는 장례식의 목소리들이 신음하는 소리를 듣는다.

천재의 새들이 내 속에서 솟구친다

천재의 새들이 내 안에서 솟구친다
　　　하지만 내 덫은 엉성하니—
　　　　　　　　　　　　　　　　　　　　새들은 높이 날아 파랗게
　　　　　　　　　　　　　　　　　　　　　　　　　　　　　날아
　　　　　　　　　　하얗게
　　　　　　　　　　날아 갈색으로
　　　　　　　　　날아 회색으로—
내 부서진 심장 그 끝에서 덜걱거린다.

내 신경증의 손가락들을 어루만지며

내 신경증의 손가락들을 어루만진다
세계의 지각(地殼)인 검은 반지를 잔뜩 두른 채
생과 삼라만상의 침울한 건반에 놓인 그 손가락들을.

제가 밤을 별로 수놓아드리길 원하시나요?

제가 밤을 별로 수놓아드리길 원하시나요?

하얗게 떨어져 내리는

우리 심장은 분화구처럼 깊고 텅 비어—

사랑하는 이여, 너는 괴롭고,

나는 괴롭고,

가자.

우리 이상의 하얀 성으로 날아가자

저 뜨거운 눈, 꼼짝 못하게 사로잡는 저 사실의 눈을 피해 달아나자.

툴레의 해안으로, 거짓말의 섬으로,

우리 이십 년의 배를 타고 꿈처럼 날자꾸나.

이곳은 금의 나라 노래의 나라 새들의 나라,

우리는 새로 벤 갈대 침대에서 잠들 것이다.

우리 사사로운 재앙들에서 물러나 쉬리라,

피리 선율과 별의 왈츠 속에서.

우리 이상의 하얀 성으로 날아가자,

아 저 뜨거운 눈, 꼼짝 못하게 사로잡는 저 사실의 눈을 피해 달아나자.

너는 죽고 싶은가? 너는 괴롭고, 나는 괴롭고—

우리 심장은

분화구처럼

깊이 텅 비어간다.

병원 밤 꿈

성인이 머리에 후광을 두르고 등장하는
그런 그림들처럼 하얀 옷을 입은 세실리아
그들, 하느님과 마리아와 요셉이 의자에 앉아 있고
그리고 계단 근처에서 귀를 기울이는 나.

갑자기 신비로운 커다란 등불의 너울거리는 불길이
기이한 화음을, 조금은 짧은 박자를 토해내고,
그리고 울려 퍼지는 하프 소리…
세속적인 음악들—입을 다물라, 너 상스러운 목소리들이여!

내게 더는 죄 없으리, 더는 쾌락 없으리.
나의 성인이 말씀하시길, 내 음성을 다시 듣고 싶거든
지상에서의 구원을 기다려야 하리라.

물론 다음 독주회에 가고 싶어—
그녀는 자기 행성에서 열리는 독주회 하나를 내게 빚졌지,
천사들이 병원에서 꺼내주기만 하면 곧바로!

까마귀들

내 심장 속에서 까마귀 한 떼 본 것 같아,
내 안의 황무지를 날며 조장(鳥葬)의 급강하하는,
유명한 산맥에서 내려온 큰 까마귀들,
달빛 받으며, 등불빛 받으며 지나가네.

비탄처럼, 무덤들 위에 그리는 원처럼,
그들은 얼룩말 살냄새를 맡는다
까마귀들이 얼음처럼 차갑게 전율하는 내 척추뼈로 하강하고 –
부리에 대롱거리는 살점.

그리고 밤의 악마들이 핥던 이 전리품은
한입 거리밖에 안 되는 내 생일뿐이니 –
매 순간 그 위를 맴도는 나의 광대한 권태는

양껏 물어뜯고 –
나의 영혼, 시간의 들판에 떨어진 썩은 살덩이
저 늙은 까마귀들에게 통째로 삼켜질 까마귀들의 몫.

밤의 고해

신부님, 전 귀신 들렸습니다, 도시는 밤이고
제 영혼은 인간의 검은 죄악을 담은 상자이고,
길가엔 끔찍한 슬픔이 비로 내리지요
아무도 얼씬거리지 않습니다.

모두 고요하고, 모두 잠들었고, 광대한 고독이
낡은 대저택의 공포에 저 혼자 구역질을 합니다.
신부님, 전 귀신 들렸습니다, 도시는 밤이고,
제 영혼은 인간의 검은 죄악을 담은 상자입니다.

심술궂은 바람이 부는 겨울 공원에서,
제 부서진 심장을 조롱하며 루시퍼가 오고,
미친 심장이여! 날을 가는 자살을 보십시오,
저기 나무에 매달린 선한 고요를 보십시오 —

신부님, 저를 위해 기도해주세요, 도시는 밤입니다!

에밀 넬리강에 관하여

에밀 넬리강(Émile Nelligan)은 1879년 크리스마스이브에 캐나다 몬트리올에서 태어났다. 아버지 데이비드 넬리강은 아일랜드인 이민자였고 어머니 에밀리-아만다 위동은 프랑스어권 캐나다인이었다. 에밀은 학창 시절 초기에는 우등생이었지만 콜레주 생트마리의 최종 입학시험을 통과하지 못해(1897) 모두를 놀라게 했다. 그때 그는 열일곱 살이었다. 그의 아버지가 아들의 앞날을 도모하려고 리버풀로 운항하는 증기선에 일자리를 구해주고(그는 두 달 만에 그만두었다) 이어 도시의 어느 사무원 일을 구해주었다(그는 일주일 만에 그만두었다). 그는 1896년에 시를 쓰기 시작해 몬트리올 문학계에 입성하려고 몇 차례 시도했다. 하지만 그는 수줍은 성격이었고, 시는 대부분 출판에 적합지 않다고 판명되었다. 그의 정신이 망가져가는 듯했다. 그는 잠을 이루지 못하고 밤새 시 구절을 읊으며 거리를 배회했고, 다음 날이면 지난밤의 경험을 시로 옮겼다. 1899년 겨울에 심신쇠약으로 고통받던 그는 조발성 치매 진단을 받았다. 그때부터 1941년 사망할 때까지 생베누아 정신병원과 생장드디외 병원에서 세상과 동떨어진 무관심의 상태로 살았다. 그의 시들은 겨울과 초월을 찌르는 검은 시도들이다. 그저 슬프기만 한 것이 아니라, 그는 어떻게 보자면 그 자신의 저녁기도인 듯하다. 어떤 사람들은 자기 생의 저녁에 태어나, 아침과 오후를 기억하면서도 그걸 살지 못하는지도 모른다. 그것들은 이미 멀리 어둠 속에 가 있다.

참고 도서

Nelligan, Émile. *Émile Nelligan: Poésies complètes*. Edited by Réjean Robidoux and Paul Wyczynski. Montreal, Quebec: Fides, 1992.